Balthazar découvre la lecture

Marie-Hélène Place
Féodora Stancioff
Illustrations de Caroline Fontaine-Riquier

Pour présenter ce livre à l'enfant :

- Lisez-le une première fois seul, pour bien comprendre comment vous le présenterez à l'enfant, puis choisissez un moment et un endroit calme pour le lire avec lui.
- L'enfant découvre les illustrations, puis les nomme à voix haute.
- Demandez-lui quel son est présent dans chaque mot de la page. Avec ou sans votre aide, il distingue par exemple le son « f ».
- Présentez-lui maintenant le son écrit page de droite : parfois, « f » s'écrit « ph ».
- Passez doucement l'index et le majeur réunis plusieurs fois sur le son écrit en le prononçant sur la fin, puis proposez à l'enfant d'en faire autant.
- Retournez aux illustrations et demandez à l'enfant de lire avec vous un premier mot. Choisissez le mot le plus court et faites-lui prononcer chaque son :
  Ex : le phare « l » « e » : **le** « p » « h » : **« ph/f »** « a » « r » « e » : **« phare »**
- Avec votre encouragement, l'enfant lit le mot en entier, puis de la même façon, lit les autres mots.
- Enfin, lisez la phrase accompagnant le son en lui proposant la lecture des mots illustrant ce son.
- Poursuivez sur une autre page, puis laissez l'enfant reprendre les pages déjà vues et explorer seul le reste du livre.
- Un autre jour, mais de façon régulière, reprenez le livre à son début et poursuivez sur un, deux ou trois nouveaux sons selon l'enfant, son rythme, son intérêt et son absorption.

Ce livre a été pensé pour l'enfant qui veut lire et qui aime les lettres, ainsi que pour celui qui doit lire et qui appréhende les lettres.

Mon admiration et mon amitié à Isa Bordat et Martin Bruneau, de grands artistes.
Très tendrement à Léopold et Germain.
C. F-R.

Éditrice : Claire Cagnat - Conception graphique et mise en page : Raphaël Hadid
 ISBN : 978-2-218-96042-0

Loi n°49 956 du 16 juillet 1949 sur les publications destinées à la jeunesse.
Dépôt légal : 96042 0 / 01 - Février 2013 - Imprimé en Chine par Léo Paper.

Balthazar découvre la lecture

le bateau

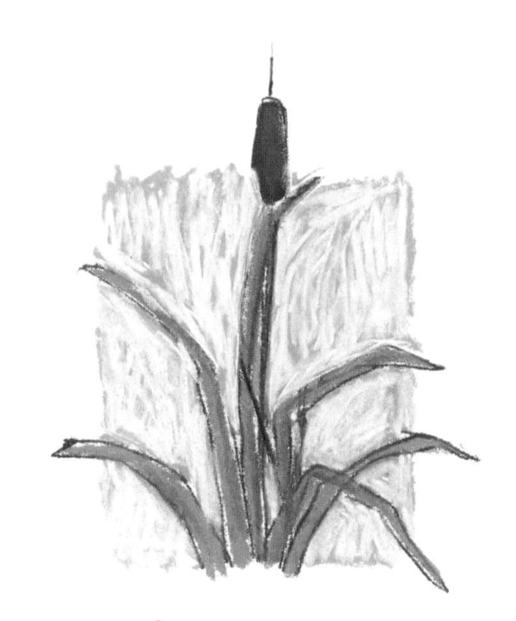

le roseau

le seau

le veau

eau

Le beau petit veau cherche
son seau dans les roseaux.

le chou-fleur

la poule

le tournesol

la poupée

Une poule toute douce
glousse sous sa douche.

le lait

le balai

la rainette

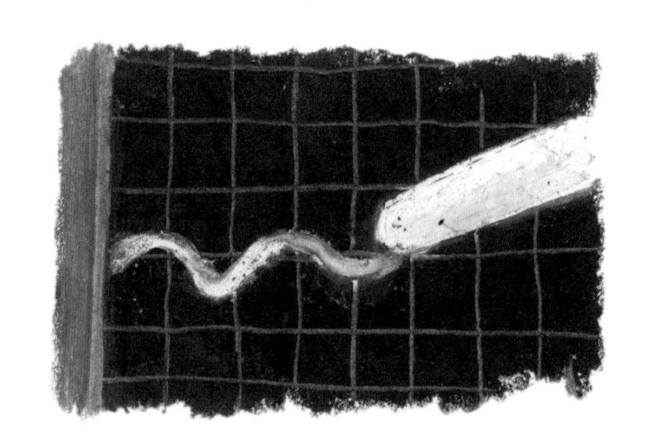

la craie

D'un coup de balai,
la rainette éclaire son palais.

la pensée

le serpent

l'encrier

le pendentif

le vent

em

Cent serpents enlacés font siffler
le vent entre leurs dents.

la danse

la mandarine

la sandale

l'antilope

le volcan

L'antilope danse,

charmante, insouciante.

la vache

le chat

la niche

la cruche

Un caniche n'est pas fait pour une ruche,
pas plus qu'une vache pour une niche.

la marionnette

la violette

les pâquerettes

la mallette

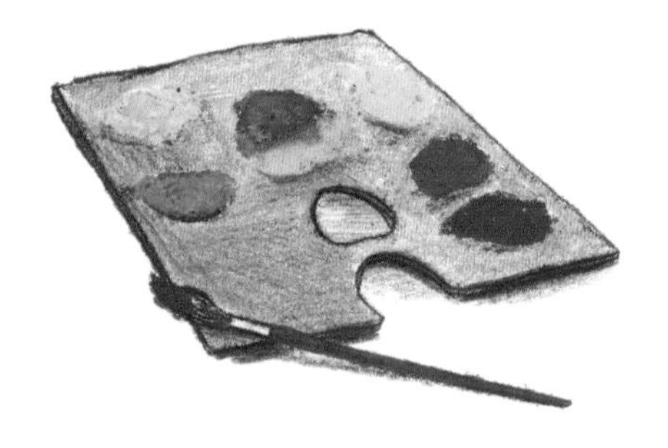

la palette

ette

Une marionnette à dix-sept couettes porte
sur sa tête une mallette de pâquerettes.

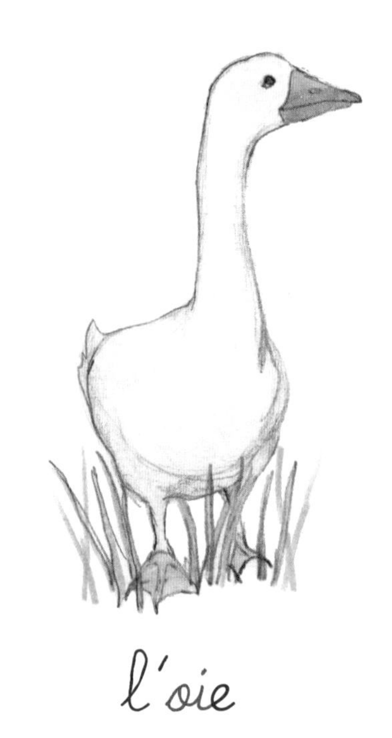

l'oie

le roi

le miroir

l'étoile

Dans la nuit étoilée, j'aperçois une oie.
Elle me voit, s'assoit et boit.

la brique

l'élastique

le coquelicot

la pastèque

C'est fantastique,
une boutique d'élastiques.

la morille

les billes

la vanille

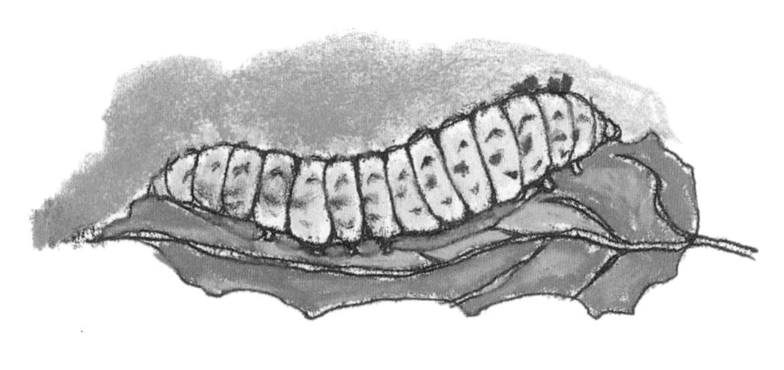

la chenille

Le gorille cueille des morilles
pour sa fille Camille.

le bonbon

le potiron

le ballon

la ronde

on

Pour Manon, le melon rond comme
un ballon est aussi bon qu'un bonbon.

la lotion

la partition

la portion

tion

Sous les acclamations et les ovations,
le chef d'orchestre s'installe
devant sa partition.

la girafe

la magie

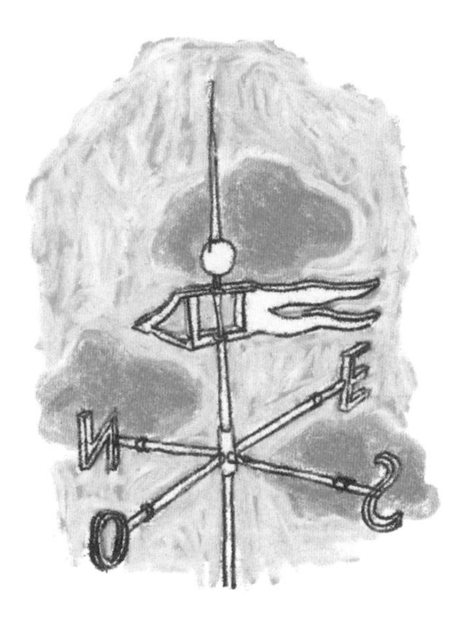

la girouette

la giroflée

Les gigantesques girafons
gigotent dans les giroflées.

le panier

le saladier

le sablier

le soulier

le berger

Lors d'un dîner sous les palmiers,
le cordonnier fit des souliers de papier
pour le petit berger.

l'aubergine

l'automobile

l'automne

l'autruche

L'autruche d'Auvergne est plus hautaine
et plus mondaine que l'autruche australienne.

le train

le pain

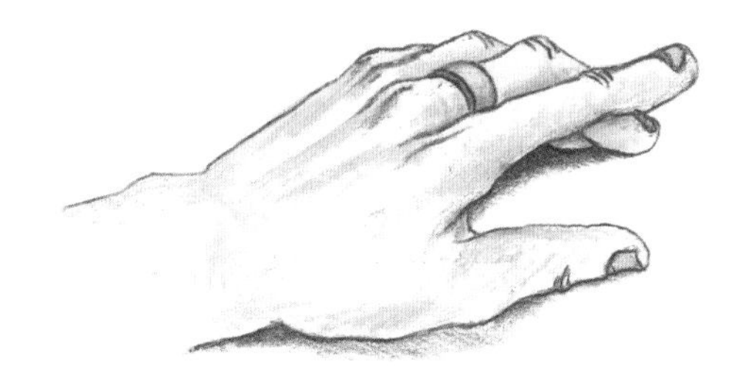

la main

le bain

aim

Le nain du jardin de Germain
se promène en train.

la cigogne

le citron

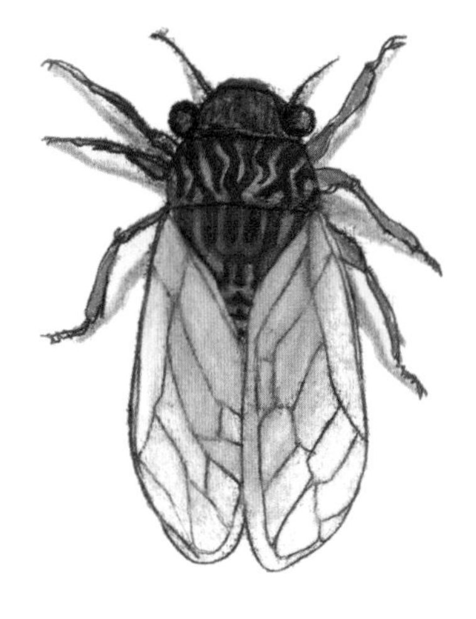

la cigale

le cinéma

La cigale sans souci invite la cigogne
au cinéma. Celle-ci apprécie
et la remercie.

le bœuf

le cœur

l'œuf

Assis sur un oeuf, le boeuf
et sa soeur chantent en choeur.

le pépin

le lutin

le marin

l'insecte

Dans le jardin, un lutin
aux oreilles de lapin cueille
un brin de romarin pour Pépin.

le bouvreuil

le fauteuil

la feuille

l'écureuil

L'écureuil et le bouvreuil dégustent
un mille-feuille de chèvrefeuille
dans leur fauteuil.

l'orage

l'éponge

la plage

Après l'orage, le page
et le mage épongent la plage.

le dalmatien

le martien

le musicien

le gardien

iem

Un bel italien musicien
promène son chien dalmatien.

la limace

la grimace

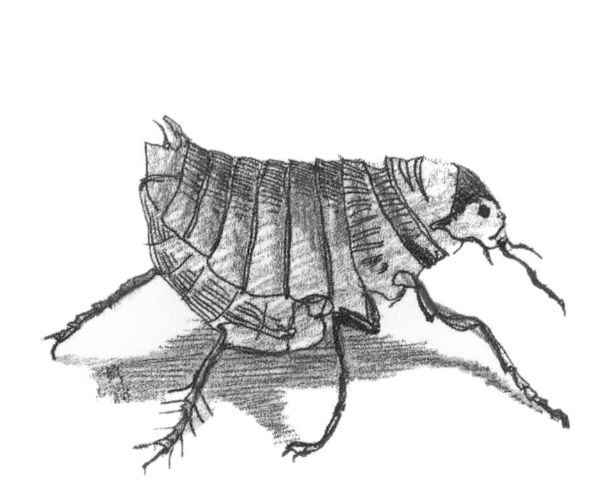

la puce

la glace

Une limace fait des grimaces
devant la glace.

le bétail

l'ail

la caille

La petite caille porte un chandail
couleur corail.

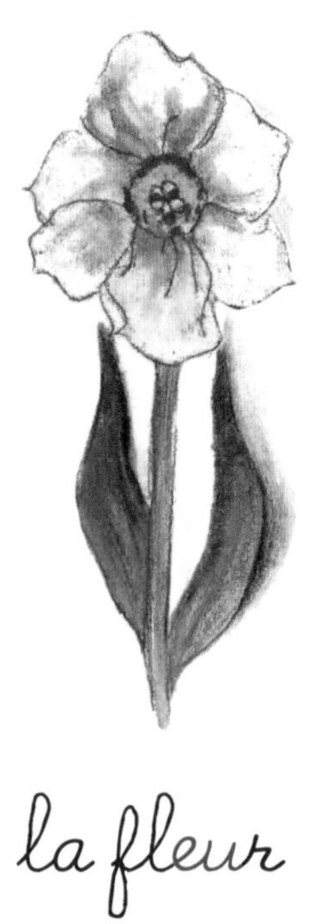

la fleur

le beurre

le parfumeur

Les fleurs du parfumeur changent
d'odeur selon son humeur.

la pirogue

la figue

la baguette

la marguerite

gu

Sur la digue, Marguerite guette la pirogue
de Rodrigue pour danser la gigue.

l'abeille

le soleil

l'orteil

le réveil

L'abeille s'étire des oreilles
jusqu'aux orteils
au réveil du soleil.

l'éléphant

la photo

le nénuphar

le phare

À la lueur du phare, l'éléphant repose
sur un nénuphar phosphorescent.

la baleine

la neige

la reine

La reine Madeleine

lit Verlaine à sa baleine.

le foin

le groin

le coing

le poing

oin

D'un petit coin de la meule de foin
dépasse un groin.

MODE D'EMPLOI DU JEU

Matériel : 30 cartes-sons avec le mot au verso. 30 cartes-images correspondantes.
Les activités s'adressent à un enfant de 5/6 ans, lorsqu'il aura vu la moitié des sons du livre.

Avec l'enfant, détachez les 60 cartes et faites 2 piles : cartes-images et cartes-sons.
Afin de respecter le rythme de l'enfant, commencez à jouer en n'utilisant que la moitié des cartes, puis l'autre moitié, et enfin toutes les cartes réunies.

Activité 1
L'enfant étale les cartes-images en faisant 3 colonnes espacées et place la pile des cartes-sons à côté de lui. Il prend une carte-son, lit le son à haute voix et le place à côté de la carte-image correspondante.
S'il ne reconnaît pas un son, laissez-le le retrouver dans le livre et le reconnaître.
But : familiariser l'enfant avec la lecture et l'écriture des sons par le jeu et la répétition.

Activité 2
A. L'enfant étale la pile des cartes-mots en faisant 3 colonnes espacées et place la pile des cartes-images près de lui. Pour chaque image, il cherche la carte-mot correspondante et place l'image à côté du mot.

B. L'activité est la même que précédemment, mais cette fois l'enfant place les cartes-images en 3 colonnes espacées devant lui et place les cartes-mots en pile près de lui. Il lit le mot en entier et le place à côté de l'image qui correspond.
But : familiariser l'enfant avec les sons et lui permettre de prendre goût à la lecture et l'écriture.

L'enfant peut jouer seul ou avec un autre joueur. Chacun joue alors à son tour.
Lorsque l'enfant a fini une activité, il range les cartes dans une enveloppe que vous glisserez dans le livre et que vous maintiendrez avec un trombone.

eau	ou	ai	en	an
ch	ette	oi	qu	ill
on	tion	gi	er	au
ain	ci	œu	in	euil
ge	ien	ce	ail	eu
gu	eil	ph	ei	oin

la sandale	le serpent	le lait	la poule	le bateau
la bille	la pastèque	le roi	la palette	la niche
l'aubergine	le panier	la girafe	la portion	le bonbon
la feuille	le marin	l'œuf	le citron	le pain
le beurre	l'ail	la glace	le dalmatien	l'éponge
le poing	la reine	le phare	le réveil	la figue

Lait
MEDOR